C0-AWJ-900

DES PREUVES DE PRÉDATION

La poésie aux Éditions TROIS-PISTOLES

Victor-Lévy Beaulieu: *Vingt-sept petits poèmes pour jouer dans l'eau des mots*

Raôul luôaR yauguD Duguay: *L'Infonie, le bouttt de touttt*

Raôul Duguay: *Réveiller le rêve*

Raôul Duguay: *Nu tout nu*

Michel Faubert: *Mers et montagnes*

Claudie Gignac: *Les heures lentes*

Nicolas Kiš: *Œuvres posthumes*

Renaud Longchamps: *Fiches anthropologiques de Caïn*

Renaud Longchamps: *Pays*

Renaud Longchamps: *Silences et quelques éclats*

Renaud Longchamps: *Œuvres complètes*

– *Tome 1: Passions*

– *Tome 2: Explorations*

– *Tome 3: Évolutions*

– *Tome 4: Générations*

– *Supplément au tome 1: Passions retrouvées*

Martin Pouliot: *Capoune!*

Martin Pouliot: *Commentaires sur le troupeau par un des membres*

Steak haché anthologique: *La vérité se passe un doigt*

Sylvain Rivière: *Migrance*

Monique Thouin et Olivier Lasser: *C'est mêlant l'Amérique mon amour*

Sylvie Tremblay: *On annonce du soleil à la fin du voyage*

MICHEL X CÔTÉ

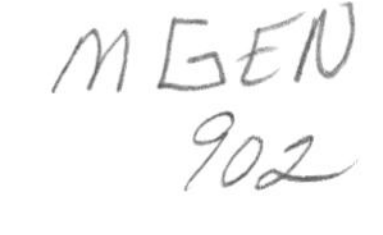

DES PREUVES DE PRÉDATION

POÈMES

ÉDITIONS TROIS-PISTOLES

Éditions Trois-Pistoles
31, Route Nationale Est
Paroisse Notre-Dame-des-Neiges
Québec
G0L 4K0
Téléphone : 418-851-8888
Télécopieur : 418-851-8888
C. élec. : ecrivain@quebectel.com

Saisie du texte : Michel X Côté
Conception graphique et montage : Roger Des Roches
Révision : Victor-Lévy Beaulieu

Les Éditions Trois-Pistoles bénéficient des programmes d'aide à la publication du Conseil des Arts du Canada, du ministère du Patrimoine (PADIÉ), de la Société de développement des entreprises culturelles du Québec (SODEC) et du programme de crédit d'impôt pour l'édition de livres du gouvernement du Québec (gestion Sodec).

EN EUROPE (COMPTOIR DE VENTES)
Librairie du Québec
30, rue Gay Lussac
75005 Paris, France
Téléphone : 43 54 49 02
Télécopieur : 43 54 39 15

ISBN 2-89583-025-8
Dépôt légal : Bibliothèque nationale du Québec, 2002
Dépôt légal : Bibliothèque nationale du Canada, 2002

À présent nous gardons
des distances épuisantes:
nous nous battons dans les espaces vacants
de chambres qui s'écaillent
et de minutes louées, nous grimpons
tous les escaliers prévus, la voix
usée de fatigue,
le corps aux aguets.

MARGARET ATWOOD

Je m'accordais immobile
À l'errance du monde
Je gardais le secret
Comme on garde
Un poing fermé
Je n'ouvrais les yeux
Que pour voir la nuit
Recommencer
Au-dessus des arbres
Sombre forêt en moi
Morte sur pied le feu
Courait sous la terre
J'étais l'enfant sans larmes
Qu'ils avaient laissé là
Tellement ma bouche muette
Et le noir de mes yeux
Ne trahissaient aucune souffrance
Qui pût exciter leur cruauté

Pour se tenir au chaud
Laisser la nuit
Dans sa bouche
Aléatoire scénario
Du ravissement
Aux intimes profondeurs
Des vieux os
Hurlent encore
Les névroses de peluche

Je n'établis pas
Les règles du jeu
Je n'ai rien à gagner
À rendre
Ce qui m'est donné
Je ne suis pas savant
Encore moins original
Jamais ma voix ne s'élève
Au-dessus d'une autre voix
Sans mystère incapable
De résoudre la moindre énigme
Disqualifié d'être au monde
Tomber de si bas
C'est encore m'envoler

Passions tranchées net
À la base du cou
Ligne de flottaison
Les appâts du quotidien
Au plus offrant
Vieux mur crevé
Contre la pâleur du monde
Le vide est vite comblé
Malgré les vents contraires
Chairs sans cri couchées
Dans les lits accoutumés
La présence est affaire
D'escortes et de soubresauts

Un lac de faille
Au creux d'une main ouverte
Un continent noyé abordant
Aux rivages râpés du ciel
Je vois une fonderie avaler
La dernière clarté d'une ville
Au matin je ne trouve
Nulle part où rentrer
Le cri rauque des oiseaux
De par ici leur vient
De ces farines rocheuses
Que le vent plaque sur l'air

Des visages lisses et très fins
Sourient doucement mais en vain
Ils font une image pâle sans plis
Le temps s'arrête et l'effroi les saisit

La rue comme une mémoire rétrécie
Coule entre ses hauts murs noircis
Un ciel compact annonce le pire
Des mains gantées échangent quelques désirs

La peur épaisse comme une armée
Rôde entre des jouets abandonnés
La sournoise tient son rôle jusqu'au bout
Déjà des vieillards ont froid dans le cou

Soif errante des rumeurs
Vent cambré
Dans la nuit des feuillages
Quand s'ouvre l'air
Lieu farouche
Où entre carence et excès
Nous nous déchirons
Tranquilles et froids

La ville portera son nom
Le nom du prospecteur
Le nom du grand patron
Qui n'y mettra jamais les pieds
Les anciens noms du territoire
Disparaîtront
Dans la poussière sous la sciure
Les tranchées sont creusées
Les barrières dressées
La compagnie prend le contrôle
Acquiert des intérêts
Dans une autre compagnie
Qui signe les arrêts
Ça prend un permis
Juste pour montrer
À tes enfants la rivière
Où ta mère a accouché
Tu indiques les lieux
Avec les mots de ta langue
Tu traces ta carte sur la terre

Nous allions vers la fin janvier
Chargés de trop brèves révélations
De la douleur nous faisions un métier
Nous prenions des trains et des avions

Depuis le soleil a cogné sur la vitre
La terre s'est ouverte bouche venteuse
La vie réclamait tous ses titres
Criant fort folle allure de menteuse

Une prière de misère sur nos pauvres os
Le froid nous a tués sans danger
De très anciennes mères sous leur chapeau
Guettent longtemps le passage des étrangers

Zone de fracture des amours
Ils élaborent des fictions dérisoires
Précis comme des assassins
Et malgré la lourdeur déjà
De leur corps neuf bien astiqué
Ils fuiront d'un coup d'aile ravageur
Les cendres douloureuses du carnage
Les amants n'ont pas de remords
Ils lèchent le feu et baisent la mort

Le temps efface et l'adieu
Et l'oubli
Mémoire soyeuse
Parfaite adéquation
Des corps des amants
À la certitude
De ne pas se reconnaître
Une fois debout
Leurs bouches brûlées
Mentent sans vergogne
À la face du soleil

Ce monde n'en est pas un
Rien n'est prévu pour soi
D'où vient cette idée
Chapardée
Cette verrue racornie au fond
Du crâne qu'un grain
De la poussière échappée
De l'initial cataclysme
Ait modifié sa trajectoire
Pour l'unique célébration
D'un si bref passage ici
Je mange l'immangeable
Soupe de l'inconscience
Commune et mort certaine
À qui poserait l'ombre
Râpeuse de sa langue
Ulcérée au-dessus
De ma ration je sape

Des malades fardés
Prennent la pose
Multiple de la douleur
Devant la grande épouvante
Des amours bradés
Tu déjoues tous les noms
Suceur de rêves tu tiens
Le feu entre tes mains
Ton sourire plus terrifiant
Encore que le malheur
À gueule de chien
Que tu répands sur le monde

Je ne saisis aucun reflet
Sur la mémoire vitreuse
De ceux qui changent
De trottoir à ma vue
Je traîne dans la ville
Une rivière où plus jamais
Un seul caribou se noiera
Mon ombre sur le mur
Est une porte parfaite

Jamais les fourbes ne jettent
Leurs matelas crevés à la rue
Leurs vices leurs douleurs secrètes
Et leurs beaux visages très nus

Ils les vendent à prix fort
Selon le marché selon les modes
Ils sont leur propre trésor
Au lieu du cœur ils ont un code

Leurs amours en congé de maladie
Errent sur des plages tellement bleues
Qu'on dirait que le sable irradie
Et que la beauté brûle les yeux

Leurs manières sont sophistiquées
Ils lèchent le sel sur les genoux
D'un enfant qu'ils ont marchandé
Pas de pleurs pas de poils pas de poux

Le jardin n'a pas donné
La bête fumante de brume
N'a pas mangé les fruits du verger
Nous faisons la guerre au silence
Tout ce temps à tuer nos pères
Mais comment effacer le sillage
D'un canot où un homme prend
Le temps d'écouter encore
La libre respiration des mondes

L'expert ment
Le médecin pousse au suicide
Le savant triture la vérité
La déclare non avenue
Le citoyen de nulle part
Met sa langue au linge sale
La mort est bénévole
Toutes portions comptées
Personne ne voit
Ce que l'autre n'a pas
Dans son sac accrédité
J'ouvre la fenêtre
Pour la balle perdue

Il éternue à bouche ouverte
Les miasmes de sa digestion
Il parle fort peut citer
En rotant la phrase illustre
D'un nazi sur la culture
Devant les promoteurs enrubannés
De la fête obligée
Il éprouve d'irrépressibles
Frémissements fessiers
Il exécute l'obséquieuse
Révérence des charognards

Ton espace est venimeux
Tu parles et les oiseaux meurent
Tu possèdes pour de bon
Cette connaissance parfaite
Qui te fait te mouvoir
Dans les hautes sphères
Et les basses œuvres
Tu tranches dans la chair
Tu déploies avec force rire
L'autorité d'un absolu cynique
Étais-tu si pressé
Que tu ne pouvais attendre
De crever avant de pourrir

Je ne connais pas le sentier
Vers l'Everest
La piste du loup
Est un mythe asphalté
Il n'y a pas de pureté
Sur les glaciers de l'Antarctique
Ce qui pèse sur la nuque
C'est ce que je laisse
Sans me retourner
Atteint du mal des cimes
Le paysage ne change pas
Nous y sommes pour rien
Le sang alerté
Fruit tranché sur le comptoir
Nul désert à lui seul
Ne saurait me dépouiller

Ils ont entrepris de créer
Une nuit sans fin
Et pour que nous éprouvions
Dans nos chairs sa perfection
Et son prix ils ont brûlé
Les yeux des enfants

Le temps m'est donné
Tellement la solitude
De chasser les vides
Où me quitter n'est plus possible
Mon renoncement
Sans secousse
Est un mensonge
Contre l'immobilité la nuit
Coule en moi et occupe
Tous les gouffres
D'une aberrante présence

Défaite la moindre convulsion
D'une pensée bien portante
Défaite aussi l'inerte
Santé des bonheurs sans soif
Le sang respire mal
Sous les draps
Le sang étranger
Qui s'en va

Je lance mes oiseaux de nuit
Qu'ils se posent sans bruit
Sur la nuque des femmes
Qui m'attendent encore
Dénouant la trame
Des amours sans bords

Des enfants rendus
À l'état sauvage
S'éloignent sur le chemin
Qui mène au rivage
Ils laissent derrière eux
Une forte odeur animale

C'est l'heure où le lièvre
Se jette sous les roues
Une forêt tombe rabattue
Sur la nuit d'un seul coup

Demain battant
De l'aile sitôt
Le matin à l'heure
Pile du soleil
Saisi entre les lattes
L'araignée s'y cache
Patience et minutie
Le jour déjà pris
Au piège léger
De son ouvrage létal

Attentif à la présence
Du chat qui dort
Contre mon coude
Et à la lampe qui fait
Un pauvre jour
Rien n'est plus vide
Que ma tête une voix
Ailleurs annonce encore
La fin de quelque chose

Nos jardins sont des champs de mines
Cueille ma douleur mon cœur
J'entends pleurer ma voisine
Nous tenons entre nos mains
Des fruits ensanglantés
Les beaux corps humains
De nos enfants mutilés

Nos jardins sont des champs de mines
Sarcle ma colère mon cœur
Combien de fois aurai-je
À retourner la terre
Où je couche les vies
Que l'on m'arrache
Combien de fois aurai-je
À plonger mes mains
Dans la terre retournée
Pour qu'y pénètre enfin
Un souffle de chaleur

Nous dormons à même le sol
Plus dépouillées que folles
Serrant entre nos bras
Des objets dérisoires
Une chaussure un arrosoir
Que nous trouvons
Trébuchant sur nos pas
Nous n'avons pas de prières
Pour ces pauvres choses
Que des larmes qui laissent
Sur la boue qui les blesse
De longs sillons clairs

Des oiseaux pour personne
Tout le territoire volé
Pour un terrain miné
Un fusil une sortie
De secours tourne le dos
Tourne le fer rouillé
Au fond du puits
Ta colère sur la bouche
D'une amante de toujours
Les pièges à ta ceinture
Font une musique d'eau claire
La mort est comme ça
Encombrée de jouets de rêves
De jours de fête et d'argent compté
Celle de l'ennemi patiente encore
Sous un pneu crevé la tienne
Tu l'entends rire dans la fourrure
Éteinte d'une proie trop maigre

Tu t'entêtes tu vas
De l'avant tu n'arrives
À rien tu repars
Seul de ton chemin
Le bas-côté encombré
Des bagages des autres
Personne devant personne
Derrière il y a longtemps
Que tu ne te retournes plus
Toujours l'horizon plus vaste
Que ton regard tu fermes
Les yeux tu t'entêtes

Le vent jette une nuit sauvage
Au visage bas de la fatigue
Étourdie qui saisit la ville
Avec l'ultime détachement du coup fatal

Un quartier ne sera jamais un territoire
La rumeur a terrassé la légende
Les maisons hurlent
Tant les rues sont désuètes

Si je peux encore l'un après l'autre
Soulever mes pieds de ce sol comme un mur
C'est que je dresse très haute devant
Chacun de mes pas une forêt natale
Noire et criblée de lacs vivants

Le vent m'y porte qui jamais ne s'arrête
Pour une seule fois reconnaître
Le chant qu'il fait
Entre les branches entre mes os

Des sources claires percent
L'obscurité du monde
Je ne parle pas la langue
Je laisse les pensées
Se démêler
De l'air ambiant
À hauteur de canot
Le ciel est courbe
La terre est à pic

Des plaies frottées de charbon
Se cicatrisent au soleil
Des mains plongées
Dans l'eau glacée
Font sourire
Chacun veut toucher
Le cœur vivant avant
Qu'il ne soit jeté
Aux chiens une langue
Coupée pour jouer

Ça rentre dans l'ombre
Sous le fard
Raclant le fond
Luisant lisse les mains
Attachées contre la tête
Belle icône
Nappée de crachats
Le photographe est célèbre
Le torturé bien qu'il garde
Un visage d'aspect humain
On ne le voit plus comme tel

Le fil de l'eau qui en saisira
La mesure sinon le noyé
Sinon le reflet du bouleau
Main effeuillée fouillant
Le fond rocheux d'un réservoir

Nous y pêchions tout l'été
À une distance multipliée
Par des milliers de soleils
Des hommes sans méchanceté
Lançaient vers nous des signes
Dans l'air tendu des cigales

Nous venions d'ailleurs
Ils étaient là depuis toujours
Toujours ils nous attendent

Adorateurs et scarabées
Des dieux solaires dansent
Jusqu'à l'arrachement
Des chairs
Des sectes adolescentes
S'inventent des prières
À cran d'arrêt

Tout débraillé chicot d'arbre penché
Sur la nuit mains folles contre le vent
Gelé raide abouché à un ciel ébréché
L'air fin tout fin seul
À tourner sur mes pas
Boussole aveugle comme un doigt
Sur une carte toussant pointu
À m'ouvrir le ventre des os
Fendus de douleur
Percent mon blouson
Déjà la folie lèche
Les parois de mon crâne

Depuis qu'il fait soleil
Ils croient férocement
Que la guerre n'aura pas lieu
Ils ont pissé dans le puits
Maudit l'eau des pluies
Ils cherchent des œufs
Dans les nids de mitrailleuses
Ils placent leurs économies
Dans les poches de l'ennemi
Et leurs prières aveugles
Entre les mains repliées
De leurs chers disparus

Roublards les affameurs pratiquent
Le marquage à l'odeur
Sur un territoire déserté
De l'eau marchandée
Contre rien quand la soif
Obéit à un désir exclusif
Si la collusion est étroite
La corruption s'installe
Ils n'auront laissé que des preuves
De prédation

Le matin j'examine ma tête
Je l'ouvre d'un seul coup
Du tranchant de la main
Beau fruit à noyau dur je pose
Mon crâne fendu sur un coin
De table sur le lit ou au pied
De la porte en plein courant
D'air morceaux remplis de tout
De rien j'agite délicatement
Les moitiés de ma tête
Entre mes mains
Je recompose sa forme
Ronde terriblement humaine

Ils sourient à la une
Une terreur commune les soude
À l'argent ils dévorent
La chair des mondes
La haine est imputrescible
Dans les charniers du commerce
Un vent indifférent gerce
Leurs lèvres minces d'avares
La passion est une denrée rare
Qui jamais ne fleurit au désert

Une pierre à l'oreille
J'entends le sang
De ma mère
Dans mes veines
Jamais un jour
Ne laisse le vivant
Intact de même
Aucune nuit

Ni dedans ni dehors un chemin
Vers nulle part le ciel
Appuyé sur l'aile d'un oiseau
Un rocher lentement prend
La forme de l'eau une île
Brûle sur la ligne d'horizon
Une enfance atterrée
S'achève là
Entre des quartiers d'orignal
Des poulies grincent
Le silence saigné
De tous les bruits de la terre

Tu glisses
Sur l'air sur l'eau
Tu dérapes
À partir de ces riens
Où la mémoire s'appuie
Un regard une voix
Un chagrin cœur gros
Comme une mitaine gelée
Sur une corde de bois
L'oreille tournée
Vers tous ces bruits
Et tant d'oiseaux
Au bout des doigts
Comment veux-tu
Rentrer ton bois

Piétinements latéraux
Sur les rouges
Tapis de l'adulation
Des siècles de tricots désuets
Et toujours à distance
Un possible étonnement
Devant la clôture

Mon regard sur le fil
À plomb du jour la lumière
Est un arbre tombé plus fort
Que le chant des oiseaux le bruit
De leurs sauts sur la neige
Un seul de ces courts bonds
Ébouriffés fait trembler
La terre à n'en plus finir

Tyrannie des ensembles parfaits
Pas de faute de goût
Pas d'écart
Sinon gare
Aux grumeaux incriminants
Jugulaires avachies des pontes
Crapules trapues

Quelle amoureuse soûle
A lancé son cœur cassé
Sur ma porte le monde coule
Sombre corps et biens
La nuit s'allonge
Le jour est encore loin
0ù je suivrai du bout des doigts
La descente sinueuse
D'une goutte de pluie
Sur la vitre embuée
D'une chambre heureuse
Quelle araignée folle
A tissé sa toile
Entre les aiguilles de l'horloge
Le temps se détraque
Un autre bonheur déjà
A bandé son arc

Les radios de la contrée
Du vaste ciel
Font tourner
La première position
Le bonheur des filles
A le mouvement
De jupes au vent
Les garçons boivent
Depuis la nuit des temps
Leur première bière
À la porte de l'hôtel

Un homme paisible
Sûr de son droit
Citant la bible
Impose sa loi
Empty gun racks tonight
Is the night of the kill
Un vent âpre assèche son puits
Et fait un désert
De son monde
Familier et fini

Une colère lente roule sans bruit
Sur la Principale Nord
Le fusil brûle encore
Personne
Ne sait ce qui arrive
Si le sang rougit la terre
Ou s'il sen va aux archives
Les radios de la contrée
Du vaste ciel
Font tourner
La première position

Le chant nu d'un seul humain
La foule ne peut l'entendre
Tout occupée à applaudir
Le merveilleux ensemble
De l'outrance spectaculaire
Suintant des écrans multipliés
Par les sueurs parfumées
De cette masse festive qui
À force de pulsions satellisées
Rend obsolète la pensée même
D'un chant nu de qui que ce soit
Qu'il aille se faire soigner

De l'abject à l'informe
Plus un maigre mot
Qui ne soit éventré
Les affameurs peuvent rompre
Entre leurs doigts gantés
Le plus petit de mes os
Le souffle sourd et chaud
Qui s'en libère
Les cloue au sol

Table des poèmes

Je m'accordais immobile… 9
Pour se tenir au chaud… 10
Je n'établis pas… 11
Passions tranchées net… 12
Un lac de faille… 13
Des visages lisses et très fins… 14
Soif errante des rumeurs… 15
La ville portera son nom… 16
Nous allions vers la fin janvier… 17
Zone de fracture des amours… 18
Le temps efface et l'adieu… 19
Ce monde n'en est pas un… 20
Des malades fardés… 21
Je ne saisis aucun reflet… 22
Jamais les fourbes ne jettent… 23
Le jardin n'a pas donné… 24
L'expert ment… 25
Il éternue à bouche ouverte… 26
Ton espace est venimeux… 27
Je ne connais pas le sentier… 28
Ils ont entrepris de créer… 29
Le temps m'est donné… 30
Défaite la moindre convulsion… 31
Je lance mes oiseaux de nuit… 32
Demain battant… 33
Attentif à la présence… 34
Nos jardins sont des champs… 35
Des oiseaux pour personne… 37
Tu t'entêtes tu vas… 38
Le vent jette une nuit sauvage… 39
Des sources claires percent… 40
Des plaies frottées de charbon… 41
Ça rentre dans l'ombre… 42

Le fil de l'eau qui en saisira... 43
Adorateurs et scarabées... 44
Tout débraillé... 45
Depuis qu'il fait soleil... 46
Roublards les affameurs pratiquent... 47
Le matin j'examine ma tête... 48
Ils sourient à la une... 49
Une pierre à l'oreille... 50
Ni dedans ni dehors un chemin... 51
Tu glisses... 52
Piétinements latéraux... 53
Mon regard sur le fil... 54
Tyrannie des ensembles parfaits... 55
Quelle amoureuse soûle... 56
Les radios de la contrée... 57
Le chant nu d'un seul humain... 59
De l'abject à l'informe... 60